UM DIA, SIMÃO PEDRO E OS COMPANHEIROS ESTAVAM MUITO CHATEADOS E CANSADOS, POIS HAVIAM TRABALHADO A NOITE TODA, MAS NÃO CONSEGUIRAM PESCAR PEIXE ALGUM.

NESSE DIA, JESUS ESTAVA À BEIRA DO LAGO ONDE PEDRO E SEUS COMPANHEIROS PESCAVAM. UMA MULTIDÃO SE ESPREMIA EM VOLTA DE JESUS PARA OUVI-LO PREGAR A PALAVRA DE DEUS.

JESUS VIU QUE HAVIA DOIS BARCOS ESTACIONADOS À BEIRA DO LAGO E SUBIU NO QUE ERA DE SIMÃO PEDRO. OS PESCADORES TINHAM DESCIDO DOS BARCOS PARA CONSERTAR AS REDES.

DO BARCO, UM POUCO MAIS AFASTADO DA MARGEM, JESUS, ENSINAVA O POVO, QUE O OUVIA COM MUITA ATENÇÃO.

APESAR DE TER TRABALHADO SEM SUCESSO DURANTE TODA AQUELA NOITE, EM OBEDIÊNCIA À PALAVRA DE JESUS, SIMÃO PEDRO LANÇOU A REDE ÀS ÁGUAS.

QUE SURPRESA! ELA FICOU REPLETA DE PEIXES! SIMÃO PEDRO PRECISOU CHAMAR OUTROS PESCADORES PARA AJUDÁ-LO A TIRAR A REDE DA ÁGUA. ERAM TANTOS PEIXES QUE A REDE ESTAVA QUASE RASGANDO.